Hans Gärtner

Kennst du den? Lachmuskel-training

Zeichnungen von Hans-Christian Sanladerer,
Lila Leiber und Dorothea Tust

gondolino

© für diese Ausgabe: gondolino
in der Gondrom Verlag GmbH, 2004
Coverillustration: Jakob Möhring

ISBN 3-8112-2247-3

Der Umwelt zuliebe gedruckt auf chlorfrei gebleichtem Papier.

5 4 3 2 1

Inhalt

Wenn zwei
sich
unterhalten

„Die Tremmels im ersten Stock – das sind
ziemlich arme Leute, oder?"
„Wie kommst du denn darauf?"
„Das Baby von Tremmels hat eine Cent-
Münze verschluckt. Und jetzt sind alle ganz
aufgeregt. Sie wollen das Geld unbedingt
wieder raushaben."

„Verlangt dein Vater auch von dir, dass du
vor den Mahlzeiten betest?"
„Nein. Meine Mutter kocht ganz gut."

„Warum haben Sie denn Ihren schönen
gelben Wagen violett lackieren lassen?"
„Weil die Leute immer Briefe reingeworfen
haben."

„Mein Hund kann allein mit der Pfote die
Haustür öffnen."
„Das ist gar nichts! Meiner hat seinen eigenen
Hausschlüssel."

„Gerda, iss jetzt bitte deine Suppe auf!
Manches arme Mädchen wäre froh, wenn
es nur die Hälfte hätte." – „Ich auch."

„Hallo Ute! Wie geht dein neues Fahrrad?"
„Mein neues Fahrrad geht nicht, es fährt."
„Und wie fährt es?"
„Es geht."

„Was ist der Unterschied zwischen einem
Beinbruch und einem Einbruch?"
„Nach einem Beinbruch muss man drei
Monate liegen, nach einem Einbruch drei
Monate sitzen."

Immer diese Erwachsenen

„Kannst du mir sagen, wie spät es ist?", fragt ein Spaziergänger einen Jungen. Dieser, sehr höflich: „Ja, gerne. In zehn Minuten ist es fünf Uhr."
Der Spaziergänger, ungehalten: „Ich will nicht wissen, wie spät es in zehn Minuten ist, sondern wie spät es jetzt ist!"

Mit einem dicken Verband um den Kopf und einem Gipsbein kommt der Lehrling zur Baustelle gehumpelt, um zehn Uhr statt um sieben Uhr.
„Ganz schön spät", murrt der Polier.

12

Jammert der Lehrling: „Ich bin vom zweiten Stock aus dem Fenster gefallen!"
Den Polier rührt das nicht: „Das wird doch wohl keine drei Stunden gedauert haben!"

„Mag Ihr Hund kleine Kinder?", fragt Moni den Mann mit der Dogge.
„O ja", sagt der Mann, „aber ich kaufe ihm doch lieber Rindfleisch."

Karli schreit Gerd an: „Du bist ein Kamel!"
Gerd schreit Karli an: „Und du bist ein
noch größeres!"
Vater geht das Geschrei auf die Nerven.
„Ihr habt anscheinend vergessen,
dass ich auch noch im Zimmer bin."

Einem Spaziergänger fällt ein Blumentopf
auf den Kopf.
„Ist das eine Unverschämtheit!", schreit er
und schaut dabei nach oben.
Von dort tönt es herab: „Aber nicht doch!
Das ist ein Alpenveilchen."

Eine ältere Dame wird von einem Radfahrer
angefahren und fällt hin. Der Radfahrer hilft
der Frau auf und sagt dabei: „Da haben Sie
aber Glück gehabt, dass ich heute
meinen freien Tag habe."
„Warum denn das?"
„Weil ich normalerweise einen Omnibus
fahre."

Mit eingegipstem Arm liegt Frau Meier
nach einem Fahrradunfall im Krankenhaus.
Sie fragt den Arzt: „Werde ich später mit
meiner Hand wirklich alles machen können?"
„Aber natürlich!"

„Kann ich dann zum Beispiel auch Klavier spielen?"

„Klar, Frau Meier!"

„Wie schön, Herr Doktor! Das wollte ich immer schon mal können!"

Beim Frisör

„Was kostet Haareschneiden?"

„Fünf Euro fünfzig."

„Und was zahlt man bei Ihnen fürs Rasieren?"

„Zwei Euro."

„Dann rasieren Sie mir mal den Kopf!"

Im überfüllten Bus tippt eine ältere Frau einem sitzenden jungen Mann auf die Schulter: „Gestatten Sie, dass ich Ihnen meinen Stehplatz anbiete?"

Tante Marlene schreibt einen Brief.
„Warum schreibst du denn so langsam?", erkundigt sich Elke.
„Weißt du, mein Kind, den Brief bekommt mein Neffe Fritz. Der ist erst sieben Jahre alt und kann nur ganz langsam lesen."

Im Restaurant aufgeschnappt

Kellner zum Gast: „Hatten Sie einen Nachtisch genommen?"
Gast zum Kellner: „Wieso? Fehlt einer?"

Gast zum Gast: „Essen Sie gerne Wild?"
Gast zum Gast: „Nein, lieber ruhig und gemütlich."

Gast zum Kellner: „In meiner Tischdecke ist ein Loch."
Kellner zum Gast: „Augenblick, bitte, das Nähzeug kommt sofort!"

Gast zum Wirt: „Jetzt habe ich schon mindestens zehnmal Schweinebraten mit Kraut und Knödeln bestellt!"
Wirt zum Gast: „Tut mir Leid, aber bei solchen Mengen dauert es immer etwas länger."

Gast zum Kellner: „Am Tellerrand sitzt eine Fliege und grinst mich frech an."
Kellner zum Gast: „Tut mir Leid, aber wenn man Ihnen beim Essen zuschaut, kann man sich das Grinsen kaum verkneifen."

Gast zum Kellner: „Der Schaumwein schäumt ja nicht!"
Kellner zum Gast: „Na und? Bellt etwa ein Hundekuchen?"

Gast zum Kellner: „So, jetzt empfehlen Sie mir doch bitte mal was Gutes!"
Kellner zum Gast: „Da kann ich Ihnen nur das Restaurant gegenüber empfehlen."

Gast zum Kellner: „Der Hund starrt dauernd auf mein Essen."
Kellner zum Gast: „Kein Wunder, Sie haben ja auch seinen Teller."

Gast zum Wirt: „Sie sagten, Sie hätten eines Tages gemerkt, dass Ihr Koch spinnt. Woran denn?"
Wirt zum Gast: „Daran, dass er beim Zwiebelschneiden immer lachte."

Kellner zum Gast: „Die Hähnchen sind leider ausgegangen."
Gast zum Kellner: „Wann kommen sie denn zurück?"

Gast zum Kellner: „Mein Teller ist nass."
Kellner zum Gast: „Das ist die Suppe, mein Herr!"

Dreiunddreißig Rätsel

Wer von euch ist klug und fleißig?
Dreiundreißig Rätsel weiß ich.
Spitzt das Ohr und spitzt die Feder.
Und nun schreib' sich auf ein jeder:

1. Welche Uhr hat keine Räder?
2. Welcher Schuh ist nicht von Leder?
3. Welcher Stock hat keine Zwinge?
4. Welche Schere hat keine Klinge?
5. Welches Fass hat keinen Reif?
6. Welches Pferd hat keinen Schweif?
7. Welches Häuschen hat kein Dach?
8. Welche Mühle keinen Bach?
9. Welcher Hahn hat keinen Kamm?
10. Welcher Fluss hat keinen Damm?
11. Welcher Bock hat keine Haut?
12. Welches Glöcklein keinen Laut?
13. Welcher Kamm ist nicht von Bein?
14. Welche Wand ist nicht von Stein?
15. Welche Kuh hat gar kein Horn?
16. Welche Rose keinen Dorn?

17. Welcher Busch hat keinen Zweig?
18. Welcher König hat kein Reich?
19. Welcher Mann hat kein Gehör?
20. Welcher Schütze kein Gewehr?
21. Welcher Schlüssel sperrt kein Schloss?
22. Welchen Karren zieht kein Ross?
23. Welches Futter frisst kein Gaul?

24. Welche Katze hat kein Maul?
25. Welcher Bauer pflügt ein Feld?
26. Welcher Spieler verliert kein Geld?
27. Welcher Knecht hat keinen Lohn?
28. Welcher Baum hat keine Kron?
29. Welcher Fuß hat keine Zeh'?
30. Welcher Streich tut keinem weh,
(bis welcher Wurf und Stoß und Schlag?
33.) Rat' nun, wer da kann und mag!

Friedrich Güll

Auflösungen der dreiundreißig Rätsel

1. Sonnenuhr oder Sanduhr
2. Radschuh
3. Blumenstock
4. Krebsschere
5. Tintenfass
6. Steckenpferd
7. Schneckenhaus
8. Windmühle
9. Wasserhahn
10. Überfluss
11. Sägebock
12. Schneeglöckchen
13. Hahnenkamm
14. Holzwand
15. Blindekuh
16. Wasserrose
17. Federbusch
18. Zaunkönig
19. Schneemann
20. Bogenschütze
21. Uhrschlüssel
22. Schubkarren
23. Rockfutter
24. Geldkatze
25. Vogelbauer
26. Schauspieler
27. Stiefelknecht
28. Mastbaum
29. Pferdefuß
30 bis 33. Zapenstreich, Maulwurf, Holzstoß, Pulsschlag

Nie, nie, nie!

Es gibt Glocken, die nie läuten.

Die Osterglocken

Es gibt Decken, unter denen man nie schläft.

Die Zimmerdecken

Es gibt Spatzen, die nie fliegen.

Die Käsespatzen

Es gibt einen Finken, der sich nie wäscht.

Der Schmutzfink

Es gibt Teller, von denen man nie isst.

Die Plattenteller

25

Es gibt einen Zahn, der nie beißt.

Der Löwenzahn

Es gibt Augen, die nie etwas sehen können.

Die Hühneraugen

Es gibt einen Laden, der nie Waren hat.

Der Fensterladen

Es gibt Kunden, die nie einkaufen.

Die Urkunden

Es gibt ein Kissen, auf dem nie jemand
schläft. *Das Stempelkissen*

Es gibt Träger, die für ihr Tragen nie
bezahlt werden. *Die Hosenträger*

Es gibt einen Schlüssel, der nie ein
Schloss schloss. *Der Notenschlüssel*

Es gibt Beeren, die zwar geerntet, aber
nie gegessen werden. *Die Lorbeeren*

Es gibt etwas, was nie von der Sonne
beschienen wird. *Der Schatten*

Kennst du den Unterschied ...

... zwischen einem Klavier und einer Geige?

Ein Klavier brennt länger.

... zwischen einem Fernsehapparat und
einer Tageszeitung?

*In die Zeitung kann man sich sein Pausenbrot
einwickeln.*

... zwischen einem Blitz und einem Pferd?

Der Blitz schlägt ein, das Pferd schlägt aus.

... zwischen einem Langstreckenläufer und einer Fensterscheibe?

Der Langstreckenläufer läuft erst, und dann schwitzt er. Die Fensterscheibe schwitzt erst und dann läuft sie.

... zwischen einer Geige und einem Baum?

Die Geige hat ein G, der Baum Zwei-ge.

... zwischen 2 x 2 und einer sauren Gurke?

Es ist ausgemacht: 2 x 2 = 4. Die saure Gurke ist eingemacht.

... zwischen einem Auto und einer Rolle Klopapier?

Das Auto kann man gebraucht noch verkaufen.

... zwischen mein und dein?

Keine Ahnung? Dann wird dir bald Gefängnis drohen!

„Hab ich doch",
meint Fridolin

Beim Schafehüten

„Ich hatte dich gebeten alle Schafe zu
zählen."
„Hab' ich doch", meint Fridolin. „Nur das
letzte, das lief so schnell, das konnte ich
nicht zählen."

In der Küche

„Junge, ich hab' dir doch gesagt, du sollst
aufpassen, wann die Milch überkocht!"
„Hab' ich doch", meint Fridolin. „Es war
genau viertel nach elf."

30

Bei Tisch

„Wie oft habe ich dir schon gesagt, dass du
beim Essen nicht mit den Füßen
zappeln sollst! Hast du denn keine Ohren?"
„Hab' ich doch", meint Fridolin. „Aber wie
soll ich denn mit den Ohren zappeln?"

Lehrerin: „Auf diesen Tisch lege ich drei Eier. Du legst ein Ei dazu. Wie viele sind es dann im Ganzen?"

Schüler: „Drei. Ich kann keine Eier legen. Unmöglich!"

Lehrer: „Du hast in deiner Hosentasche vier Euro. Einen Euro verlierst du. Was hast du dann?"

Schülerin: „Ein Loch in der Hosentasche."

Lehrer: „Zwei mal zwei ist vier, drei mal drei ist neun – doch wie viel ist achtzehn mal neunzehn?"
Schüler: „Das haben wir gern! Die leichten Fragen beantworten Sie selbst, bei den schwierigen wenden Sie sich immer an uns."

Lehrerin: „Wenn du zweiundzwanzig Kaugummi hast und ich nehme dir einen weg – was macht das dann?"
Schülerin: „Ach, das macht gar nichts."

Lehrer: „Drei ganze und fünf halbe Liter Bier – was macht das zusammen?"
Schüler: „Einen Rausch."

Lehrer: „Wie kommt es, dass in letzter Zeit alle deine Rechenhausaufgaben richtig sind?"
Schülerin: „Mein Vater ist verreist."

Lehrerin: „Ich schneide eine Pflaume in vier Teile. Dann nehme ich die vier Teile weg. Was bleibt übrig?"
Schüler: „Der Kern."

Lehrerin: „Wenn du jeden Tag für fünfzig Cent Bonbons kaufst – was gibt das in einer Woche?"
Schülerin: „Zahnschmerzen."

Ja, wenn man's wörtlich nimmt

Eine junge Dame kauft für ihren Hund
einen Maulkorb.
„Gnädige Frau", wendet sich der Fach-
händler an seine Kundin, „soll ich Ihnen
den Maulkorb zuschicken oder wollen Sie
ihn selbst tragen?"

Ein älterer Herr mit ziemlich kahlem Kopf
fragt seinen Frisör: „Können Sie mein Haar
locken?"
„Versuchen kann ich 's ja. Aber ob es
herauskommt?"

35

Herr Kugler steht mit seinem Geigenkasten
unter dem Arm an einer Straßenbahnhalte-
stelle.
Ein Neugieriger kommt vorbei und fragt:
„Spielen Sie Geige?"
„Nein! Hören Sie denn etwas?"

Helmut ist krank. Seine kleine Schwester
Rike ruft den Arzt an:
„Bitte, kommen Sie bald, Herr Doktor,
Helmut hat Fieber."
„Ist es sehr hoch?", fragt der Arzt.
„Nein, bloß ein paar Treppen!"

„Entschuldigen Sie, ich möchte zum
Bahnhof."
„Aber bitte! Ich habe nichts dagegen."

36

Es klingelt an der Haustür.
Steffi öffnet.
Ein Hausierer steht draußen.
Er sagt: „Frag mal deinen Vater, ob er
Hosenträger kaufen möchte!"
Prompt tönt es aus der Küche:
„Hosenträger brauchen wir nicht. Wir tragen
unsere Hosen selbst!"

Vater zu seinem Töchterchen: „Heute fühle
ich mich hundeelend. Außerdem ist mir seit
Stunden sauschlecht!"
Meint die Kleine: „Dann geh doch mal
zum Tierarzt, Papi!"

Selten so gelacht

Ein Haar in der Suppe

Regt sich ein Gast im Restaurant auf:
„Ein Haar in der Suppe! Das ist doch
allerhand!" Darauf der Ober: „Besser ein
Haar in der Suppe als Suppe im Haar."

Stimmt 's etwa nicht?

Auf einer Party sagt ein Gast zu einem
andern, der nicht gerade den fröhlichsten
Eindruck macht: „Lieber Feste feiern als
feste arbeiten. Stimmt 's etwa nicht?"

Im Rückwärtsgang

„Was fliegt in der Luft herum und macht
ständig ‚mus, mus, mus'?"
„Eine Biene im Rückwärtsgang. Wenn sie
vorwärts fliegt, macht sie ständig ‚summ,
summ, summ'."

Erst das alte!

Der Vertreter vor der Haustür, freundlich und
säuselnd zu dem jungen Mann, der geöffnet
hat: „Ein super Lexikon, fünfzehn Bände in
Leinen gebunden, ganz neu ...!" – „Danke",
wehrt der Angesprochene ab, „ich hab' das
alte noch nicht durch!"

Was aus Hansi werden soll

„Was soll denn aus dem Hansi einmal
werden?"
„Ja, wofür zeigt er denn eine besondere
Vorliebe?"
„Für die Viecher ..."
„Da wär' ich dafür, dass er Metzger werden
soll."

Beim Augenarzt

Herr Lässig ist kurzsichtig. Er soll eine Brille
bekommen. Der Augenarzt muss die Sehkraft
überprüfen und bittet Herrn Lässig Platz zu
nehmen.

41

Arzt: „Lesen Sie bitte diese Buchstaben!"
Lässig: „Welche Buchstaben?"
Arzt: „Die auf der Tafel."
Lässig: „Auf welcher Tafel?"
Arzt: „Auf der Tafel an der Wand."
Lässig: „Auf welcher Wand?"
Arzt: „Herr Lässig, alles was recht ist! Sie brauchen keine Brille, sondern einen Blindenhund."

Das kommt in der besten Familie vor

Weil 's sonst zu voll wird

Daheim erwartet man die Mutter mit dem fünften Baby aus der Klinik zurück. Großes Hallo. Dieter, der bis dahin jüngste der Geschwister, zieht eine Schnute und sagt: „Nächstes Jahr kannst du das neue Baby im Krankenhaus lassen, Mutti, weil 's hier schon zu voll wird."

Wie lange schon?

„Du, Papi, wie lange bist du eigentlich
mit Mami schon verheiratet?"
„Lass mich mal nachdenken, mein Junge!
Fast zehn Jahre."
„Und wie lange musst du noch?"

Warum nicht mittags?

„Du, Onkel Max, auf eurem Klo sind so viele
scheußliche Fliegen!"
„Na und? Warum gehst du ausgerechnet
jetzt drauf und wartest nicht bis Mittag? Da
sitzen sie nämlich alle in der Küche!"

Wahrscheinlich angeschmiert

„Opa, du hast ja keine Haare mehr ...!"
„Kind, das kommt vom Alter!"
„Opa, du hast ja auch gar keine Zähne
mehr ...!"
„Kind, das kommt vom Alter!"
„Opa, mit dem kleinen Schwesterchen, da
haben sie uns wahrscheinlich angeschmiert.
Es hat auch keine Haare und keine Zähne.
Das ist bestimmt nicht mehr neu!"

Wie ungerecht das ist!

„Sag mal, Papa, ist es wahr, dass die Lehrer
bezahlt werden?"
„Gewiss, meine Kleine", sagt Papa.
„Wie ungerecht das ist", bemerkt das
Töchterchen. „Wir arbeiten und sie be-
kommen Geld!"

Verziert und einfach

Zum ersten Mal sieht die zweijährige Bärbel
ihre Mutter in der Badewanne. Sie betrachtet
sie ausgiebig und sagt dann nachdenklich:
„Mami, warum bist *du* so verziert und warum
bin *ich* so einfach?"

Was ärgerst du dich?

Sagt der Vater zu seinem achtzehnjährigen
Sohn: „Hol mir doch bitte ein Bier aus dem
Kiosk!"
Sagt der Achtzehnjährige zu seinem Vater:
„Leider keine Zeit, muss sofort wegfahren!"
Sagt der Vater zu seinem vierzehnjährigen
Sohn: „Hol *du* mir doch bitte ein Bier aus
dem Kiosk!"
Sagt der Vierzehnjährige zu seinem Vater:
„Geht nicht, das Länderspiel im Fernsehen
fängt gerade an."
Sagt der zehnjährige Sohn zu seinem Vater:
„Was ärgerst du dich mit denen lange rum,
Papi? Gehst du eben selbst und bringst mir
gleich 'ne Packung Kaugummi mit!"

Was für ein schönes Leben!

„Was der Lehrer doch für ein schönes Leben hat!", ruft Toni, als er aus der Schule nach Hause kommt. Auf die Frage seiner Mutter, wie er auf so etwas käme, gibt Toni zur Antwort: „Vormittags hat er immer Recht, nachmittags immer frei."

Achtung, nicht aufs Glatteis führen lassen!

Wie oft lässt sich die Zahl 2 von der Zahl 10 abziehen?

Nur einmal

Eine halbe Glatze hat hundert Haare. Wie viele Haare hat eine ganze?

Gar keine

Auf welche Frage, die bestimmt jeder Schüler schon öfter gehört hat, kann nie mit „ja" geantwortet werden?

Auf die Frage „Schläfst du?"

Hans träumt, seine beiden Freunde seien von der Brücke ins Wasser gefallen. Beide zugleich kann er nicht retten. Was soll Hans tun?

Sofort aufwachen

49

Ein Kartoffelhändler ist 53 Jahre alt, 170 Zentimeter groß, dabei dick und rund. Was wird er wohl wiegen?

Kartoffeln, was denn sonst?

Wie viele weichgekochte Eier konnte der Riese Goliath nüchtern verspeisen?

Eines nur, dann war er nicht mehr nüchtern.

Wenn ein Ziegenbock mit den Vorderbeinen in der Schweiz und mit den Hinterbeinen in Deutschland steht – wer darf ihn dann melken?

Niemand, denn einen Ziegenbock kann man nicht melken.

Soll man den Kaffe in der Tasse mit der rechten oder mit der linken Hand umrühren?

Weder noch, man nimmt gefälligst einen Löffel dazu.

Weshalb blasen die Trompeter nie auf Wolkenkratzern?

Weil sie auf Trompeten blasen.

Kann man mit blauer Tinte rot schreiben?

Selbstverständlich: das Wörtchen „rot"

Wohin gehst du, wenn du neun Jahre alt
geworden bist?

Ins zehnte (Jahr)

Was ist schlimmer als ein frecher Junge?

Zwei freche Jungen

Wie viele Blätter hat ein Baum?

So viele, wie er Stiele hat.

Wann wird das Heu gemäht?

Nie, nur Gras wird gemäht.

Ist es in Andalusien erlaubt, dass ein
Mann die Schwester seiner Witwe zur
Frau nimmt?

*Der Mann ist tot, also kann
er gar nicht mehr heiraten.*

Ganz schön (wort)verspielt

Ich kenne Würste, die Würste essen können.
Welche kennst du?

Hanswürste

Ich weiß von Landen, in denen keine
Menschen vorhanden sind. Welche
kennst du?

Girlanden

Stehend kam es auf die Welt, liegend lief
es davon.

Ein Kanu, das aus einem
Baumstamm gefertigt wurde.

Braucht man 's, wirft man 's weg. Braucht
man 's nicht, holt man 's ran.

Der Anker

Ein Gang, der zum Untergang führt – was ist
das wohl für einer?

Der Müßiggang

Wer nimmt ab und zu ab und ab und zu zu?

Der Mond

Es ist weg und bleibt weg und wird doch
gesehen und oft benützt. Was ist das wohl?

Der Weg

Die Antwort weiß nur das Buch der Rekorde

Welches ist die gefährlichste Hose?

Die Windhose

Welches ist der kälteste Vogel?

Der Zeisig – weil er hinten eisig ist.

Welches ist der beste Baumeister?

Der Dumme, dem nie etwas einfällt.

Welches ist das wachsamste Auge?

Das Hühnerauge – es ist stets auf den Füßen.

Was ist das erste, das ein Mann in seinen Garten setzt?

Seinen Fuß

Wo liegt der Hase am wärmsten?

In der Pfanne

Welches ist das genügsamste Tier?

Die Motte – sie frisst nur Löcher.

Gefragt, warum ...

Gefragt, warum ...
er denn zweihundertmal – statt, wie verein-
bart, hundertmal – zur Strafe geschrieben
hat: „Ich darf zu Lehrern nicht du sagen",
antwortet Ferdi Schräg seinem Lehrer:
„Weil ich dachte, du freust dich darüber!"

Gefragt, warum ...
er eigentlich in die Schule geht, antwortet
Ferdi Schräg: „Das frage ich mich auch."

Gefragt, warum ...
sein Hund immer in die Ecke läuft, wenn es
klingelt, antwortet Ferdi Schräg: „Weil es ein
Boxer ist."

Gefragt, warum ...
er seinen Lehrer mit einem Blinddarm ver-
glichen hat, antwortet Ferdi Schräg:
„Ständig gereizt und völlig überflüssig."

58

Gefragt, warum ...
er im Dezember immer nur durch das Fenster
ins Haus geht und es auch durch das Fenster
wieder verlässt, antwortet Ferdi Schräg: „Weil
Weihnachten vor der Tür steht."

Gefragt, warum ...
er denn kein Englisch lernen will, antwortet
Ferdi Schräg: „Weil ich später sowieso mal
Bundeskanzler werde."

Gefragt, warum ...
Eskimos eigentlich so lange leben, antwortet
Ferdi Schräg: „Weil sie nicht ins Gras beißen
können."

Gefragt, warum ...
im Winter keine Häuser gebaut werden,
antwortet Ferdi Schräg: „Weil sonst den
Maurern in der Kälte die Bierflaschen
platzen."

Gefragt, warum ...
er manchmal abends mit seinem Fahrrad
um den Tisch herumfährt, antwortet Ferdi
Schräg: „Damit ich Licht hab!"

Pfarrer Guthirt und seine Schäfchen

Impfung

„Wie viele Sakramente hast du schon bekommen?", will Pfarrer Guthirt von einem Achtjährigen wissen. Sagt dieser:
„Zwei, Herr Pfarrer: die heilige Taufe und die heilige Impfung."

Anruf im Rathaus

Pfarrer Guthirt ruft im Rathaus an: „Haben Sie noch nicht bemerkt, dass auf der Wiese neben dem Feuerwehrhaus ein toter Esel liegt?" Der Beamte nimmt den Anruf des Pfarrers nicht so recht ernst und sagt: „Für die Toten sind eigentlich Sie zuständig, Herr Pfarrer." Darauf der Geistliche: „Schon richtig! Aber ich setze mich immer zuerst mit den Verwandten in Verbindung."

Vater geworden

„Ich bin gerade Vater von Drillingen geworden, Herr Pfarrer!", sagt Udo Kremser aus
Pfarrer Guthirts Gemeinde aufgeregt am
Telefon. Guthirt kann 's nicht glauben und
bittet: „Können Sie das noch mal wieder-
holen, Herr Kremser?" Darauf dieser etwas
aufgebracht: „Wo denken Sie hin! Ist doch
kaum zu schaffen heutzutage, mit sechs
Kindern durchzukommen!"

64

Beim Brautexamen

„Sind Sie überhaupt in der Lage, eine junge
Frau zu unterhalten?", fragt Pfarrer Guthirt
den Bräutigam. Lächelt dieser den Geist-
lichen an und sagt: „Doch, doch! Ich kenne
eine Menge Witze, habe ein Videogerät und
beherrsche fünf Zaubertricks."

Vom Vater hat er 's

Vor der Religionsstunde am Montag fällt
Pfarrer Guthirt sein bisher bravster Schüler
Markus unangenehm auf. Markus flucht und
schimpft, als er stolpert. Er nennt seinen
Sitznachbarn ein „Kalb Moses" und eine
Mitschülerin ein „Misthuhn". Da erkundigt
sich Pfarrer Guthirt bei Markus, woher er
denn solche groben, scheußlichen Aus-
drücke hat. Markus: „Von Papa. Der fährt
seit gestern ein neues Auto und ich bin den
ganzen Tag neben ihm gesessen."

Teufelsnamen

„Wie heißt denn der Teufel mit seinem
zweiten Namen?", will Pfarrer Guthirt im
Religionsunterricht wissen. „Pfui!", ruft
Carola – vorlaut wie immer.

Das kann ja ...

Verbinde die Hauptsätze dieser und der drei folgenden Seiten mit den Nebensätzen auf Seite 72, wie es dir gefällt. Es ergeben sich witzige Geschichten.

Mein Bruder traut
keinem über dreißig,

68

Ein Ober denkt
nichts Schlechtes,

Unser Sportlehrer
errötet leicht,

Ein Urlauber benimmt sich unanständig,

Unser Pfarrer kämmt sich
die Haare nach vorn,

Ein Clown bläst
seine Backen auf,

Unser Busfahrer
bohrt in der Nase,

Ein Metzger spuckt
in die Hände,

Mein Freund pfeift
aus dem letzten Loch,

... heiter werden!

weil er nicht alle Tassen im Schrank hat.
weil ihm das Gehirnschmalz dazu fehlt.
weil er kein Baby mehr ist.
weil ihm schon alles egal ist.
weil er seit gestern beleidigt ist.
weil ihm jeder den Vogel zeigt.
weil er einen komischen Kopf hat.
weil ihm alle sagen, dass er spinnt.
weil er Liebeskummer hat.

Unter Freunden

„Anton, ich hab' gehört, deine Frau soll
gefährlich krank sein."
Anton: „Nein, mein Lieber, gefährlich ist die
nur, wenn sie gesund ist."

Angestellter zum Chef

„Ich würde heute Nachmittag gern zu einer
Beerdigung gehen."
Chef: „Zu welcher?"
Angestellter: „Zu Ihrer!"

73

Professor zum Studenten

„Sagen Sie mir mal, junger Mann, wie lange kann ein Mensch eigentlich ohne Gehirn leben?"
Student: „Entschuldigen Sie bitte, darf ich fragen, wie alt Sie sind?"

Kollegin zu einem Kollegen

„Sie haben so strahlende, gesunde Zähne!"
Kollege grinst breit.
Kollegin: „Gibt 's die auch in Weiß?"

Gastwirt zum Kellner

„Mann, passen Sie doch auf! Sie haben ja
den Daumen in der Suppe!"
Kellner: „Keine Sorge, die ist nicht mehr
heiß."

Antragsteller zum Beamten

„Zwischen Ihnen und Blue Jeans ist kaum
ein Unterschied."
Beamter: „Wie kommen Sie denn darauf?"
Antragsteller: „An allen wichtigen Stellen
sitzen Nieten."

Alter Bauer zu jungem Bauer

„Rauchen deine Kühe?"
Junger Bauer: „Nein, warum?"
Alter Bauer: „Dann brennt dein Stall!"

Reporter Pfiffikus fragt

... einen Drittklässler:

„Weißt du, was ein Sattelschlepper ist?"
Sagt der Drittklässler: „Ein Cowboy, dem
man das Pferd erschossen hat."

... einen rüstigen Hundertjährigen:

„Haben Sie noch irgendwelche Sorgen?"
Sagt der Hundertjährige: „Nein, keine mehr,
seit mein jüngster Sohn endlich einen Platz
im Altenheim bekommen hat."

... einen Altwarenhändler:

„Sagen Sie, was verlangen Sie denn für den kleinen, fetten, hässlichen Hund dahinten rechts?"
Sagt der Altwarenhändler: „Psst! Etwas leiser, bitte! Das ist doch der Geschäfts-inhaber!"

... einen kleinen Jungen:

„Was meinst du: Gibt es einen Teufel oder nicht?"
Sagt der kleine Junge: „Das ist genauso wie mit dem Nikolaus. Der ist auch bloß dein Vater!"

... einen Brieftaubenzüchter:

„Können Sie denn von der Brieftaubenzucht leben?"
Sagt der Brieftaubenzüchter: „Sehr gut sogar! Morgens verkaufe ich zwanzig und abends sind sie wieder da."

Was ist – was ist nicht?

Was ist ein Chirurg?

Ein Aufschneider

Was ist Kameradschaft nicht?

Wenn nur der Kamerad schafft.

Was ist sichtbar – und doch kein Körper?
Was ist unsichtbar – und doch ein Körper?

Der Schatten – Die Luft

82

Was ist ungerade und doch gerade?

Die fünf Finger an der Hand

Was ist ein Sattelschlepper?

Ein Cowboy, dem das Pferd durchgegangen ist.

Was sind Gesichtspunkte?

Sommersprossen

Was ist eine Wetterwarte nicht?

Ein Haus, in dem man auf gutes Wetter wartet.

Immer diese Ostfriesen!

Warum tragen die Ostfriesen montags immer
zerschlitzte Krawatten?

*Weil sie sonntags versucht
haben mit Messer und Gabel zu essen.*

Warum lesen die Ostfriesen die Zeitung
immer nur mit Sturzhelm auf dem Kopf?

*Weil sie glauben, sie könnten von dem Schlag-
zeilen hart getroffen werden.*

Warum hängen die Ostfriesen vor dem Schlafengehen immer die Tür aus?

Weil sie dann nicht mehr befürchten müssen, jemand könnte sie durchs Schlüsselloch beobachten.

Warum fährt der Opa in Ostfriesland abends immer mit dem Fahrrad um den Tisch?

Weil er möchte, dass seine Familie bei Licht speisen kann.

Lach doch, Mensch!

Was sitzt auf dem Baum und ruft „aha"?

Ein Uhu mit Sprachfehler

Ei, ei! Was ist das?

Zwei Eier

Wie bringt man warme Wiener Würstchen
nach Hawaii?

Kalt

Was ist das: hat zwei Arme, acht Beine, drei
Köpfe und zwei Flügel?

*Ein Junge, der mit einem Wellensittich auf einem
Pferd sitzt.*

Warum läuft der Hase vor einem weißen
Hund schneller als vor einem schwarzen
davon?

*Weil er meint, der weiße habe die Jacke
ausgezogen um schneller nachzukommen.*

Wo hat der Urgroßvater den ersten Löffel
genommen?

Beim Stiel

Was ist Tesch, und was ist Pensch?

*Tesch ist ein Druckfehler. Das Wort soll „Tisch" heißen. –
Pensch ist das Mittelstück vom Lampenschirm.*

Was sollte man tun, wenn man mitten in der
Wüste plötzlich vor einer Schlange steht?

Am besten sich hinten anstellen.

Jetzt ist gut dran, wer etwas weiß

Wie macht man aus SALAT ein Großgebirge?

Durch Umstellung der Buchstaben: SALAT – ATLAS

Welche weltberühmte Stadt wird zu einem Getränk, wenn in ihr zwei Buchstaben den Platz tauschen?

Wien – Wein.

Welche deutsche Stadt ist angebunden?

Hannover – liegt an der Leine.

Welches Land ist auf keiner Landkarte zu finden?

Das Schlaraffenland

Wie kann es sein, dass das Meer alle großen Flüsse der Erde aufnimmt und dennoch nicht überläuft?

Weil so viele Schwämme darin wachsen.

Warum essen die Narren im Februar weniger als in den übrigen Monaten des Jahres?

Weil der Februar die wenigsten Tage hat.

Warum hat der Apostel Paulus an die Korinther einen Brief geschrieben?

Wäre er bei ihnen gewesen,
hätte er mit Sicherheit mit ihnen gesprochen.

Es gibt einen Tag, der nicht im Kalender steht – welcher ist es?

Der Todestag

Warum kann es nicht zwei Tage hintereinander regnen?

Weil die Nacht dazwischen liegt.

Was hat einen Anfang und zwei Enden?

Die Wurst

Lustiger Film

Herr Knorrig sitzt mit seinem Dackel im Kino.
Ein lustiger Film läuft und der Dackel lacht
sich fast kaputt. „Das gibt 's doch nicht", sagt
eine Dame in der Reihe vor Herrn Knorrig,
„dass der lachen kann!"
Darauf Herr Knorrig: „Sie können ja rausge-
hen, wenn Ihnen der Film nicht gefällt ..."

91

Die schlafen auch

„Ob Fische wohl auch schlafen?", fragt Marlies. „Und ob", erklärt ihr Lilly. „Du hast doch schon mal was von einem Flussbett gehört, oder?"

Die sprechen nicht

„Ob Fische wohl auch sprechen können?", denkt Konrad laut vor sich hin.
„Ausgeschlossen", weiß Rudi sofort, „oder könntest du mit dem Kopf unter Wasser reden?"

Sonst immer Vanille

In eine Konditorei kommt ein Pudel. Er geht zur Theke, verlangt ein Mokkaeis, zahlt und geht. Zwei Damen haben das beobachtet. Sie sitzen wie versteinert. Schließlich wendet sich die eine an den Ober: „Was sagen Sie denn dazu? Das kann 's doch nicht geben ...!" – „Ja, wer 's nicht selbst gesehen hat, glaubt es nicht! Sonst kauft er sich nämlich immer Vanille ...."

Reingefallen

Eine Maus, die in einem Wirtshaus in Tirol
lebt, stürzt in ein Bierglas. Das sieht der
Wirtshauskater und grinst hämisch.
„Rette mich!", fleht die Wirtshausmaus den
Wirtshauskater an, „kannst mich ja nachher
fressen!" Der Wirtshauskater kippt das Bier-
glas um. Die Wirtshausmaus entwischt.
Knurrt ihr der Wirtshauskater nach: „Du hast
mir versprochen, dass ich dich fressen darf!"
Die Wirtshausmaus pfeift aus dem letzten
Loch: „Im Rausch, im Rausch verspricht man
manches!"

Schwer beunruhigt

Herr und Frau Spatz sitzen auf einem Dach-
vorsprung. Frau Spatz fängt an zu weinen.
Sie ist untröstlich, was immer auch Herr
Spatz unternimmt um sie zu beruhigen. Als er
das Geheule nicht mehr ertragen kann,
schreit er heraus: „Glaub mir doch! Ich bin
nicht verheiratet! Der Ring ist von der Vogel-
warte!"

„Entschuldigung Frau Lehrerin ..."

Lehrerinnen und Lehrer können ein Lied davon singen, wie lustig viele Entschuldigungsbriefe der Eltern ihrer Schülerinnen und Schüler oft sind. So auch die Lehrerin Lia Braun-Hilger, die einige davon in ihrem Büchlein „Das Herz auf der Zunge" (München: Braun & Schneider 1957) mitgeteilt hat, z. B.:

„Entschuldigung, Frau Lehrerin, dass meine Dochter fällt. Sie hat sich dreimal gebrochen. Morgen schicke ich es Ihnen."

„Ich habe den Rheumatismus und ein Kind von vier Jahren. Dieses ist auf die Feuchtigkeit zurückzuführen. Dazu benötige ich meine Tochter Ella."

„Meine Tochter konnte gestern leider die Schule nicht besuchen, weil wir was Kleines bekommen haben, und die Frau Lehrerin weiß ja selber, wie das ist."

„Um für ihr krankes Bein später eine Beschäftigung zu haben, schicke ich meine Tochter Babett noch in einen Schreibmaschinenkurs."

„Wir mussten gestern im nächsten Dorf ein Stück Vieh holen. Mein Sohn konnte deshalb nicht in die Schule kommen, weil das Rindvieh zu langsam lief."

Was für eine Sensation!

„Beim Zirkus Popupuli hat man mich
genommen!"
„So, als was denn?"
„Als Lilliputaner."
„Gibt 's doch nicht, bei deiner Figur!"
„Das ist ja gerade die Sensation: der
größte Lilliputaner Europas!"

Schaufensterbummel

Frau Bissfest bummelt durch die Stadt. Vor einem Schaufenster bei „Mode Mollig" bleibt sie gebannt stehen. Das lange rosa Kleid mit dem weißen Kragen – Darauf hat Frau Bissfest ihr Lebtag gewartet!

„Darf ich das lange rosa Kleid im Schaufenster anprobieren?", fragt sie die Verkäuferin.

„Aber gerne, gnädige Frau!", antwortet diese freundlich, „Sie können aber auch eine unserer Umkleidekabinen benützen."

Fallschirmspringer im Einsatz

„Mensch Leo, ich krieg' meinen Fallschirm nicht auf!"
„Macht doch nichts, Paul, ist ja nur 'ne Übung heute!"

Irgendein Hornochse

Ein kleiner, schmächtiger Junge schleppt
sich mit einer ziemlich großen und schweren
Holzkiste ab. Ein älterer Spaziergänger be-
gegnet ihm und hilft ihm tragen. Als sie die
Kiste am Ziel abgestellt haben, sagt der Herr
zu dem Jungen: „Bestell deinem Vater einen
schönen Gruß! Er soll in Zukunft seinen kleinen Buben nicht eine so schwere Last tragen
lassen." Darauf der Junge: „Dasselbe hab'
ich meinem Papa auch schon gesagt. Er hat
aber behauptet, irgendein Hornochse wird
mir schon helfen."

Tante Trine will gehen

Tante Trine war drei Stunden zu Besuch.
„Ich möchte jetzt gehen. Walterle, bringst du
mich zur Bushaltestelle?"
Walterle: „Das geht leider nicht. Mama hat
nämlich gesagt, dass wir die Erdbeertorte
anschneiden, sobald du weg bist!"

Großer Durst

„Wie mir scheint, haben Sie häufig Durst.
Großen Durst!", sagt der Arzt zum Patienten.
Dieser entrüstet: „So weit lass' ich es erst gar
nicht kommen, Herr Doktor!"

Witze, die sich gewaschen haben

Wozu denn?

Jochen spielt Klavier. Die Mutter entdeckt
seine schmutzigen Finger.
„Du hättest dir wenigstens die Hände
waschen können, Junge!", ruft sie verärgert.
„Wozu denn?", fragt Jochen. „Ich spiele
sowieso nur auf den schwarzen Tasten ..."

Unterhaltung am Mittagstisch

„Mama, gestern hat unsere Lehrerin den
Edi heimgeschickt."
„Warum denn?"
„Weil er sich nicht gewaschen hatte."
„Und? Hat es was genützt?"
„Ja! Heute haben sich schon sieben aus
unserer Klasse nicht gewaschen!"

Vergesslich!

„Warum hat Mutter mit dir geschimpft?",
fragt Oliver seine Schwester.
„Weil ich mich nicht gewaschen habe",
antwortet diese.
„Woran hat sie das denn gemerkt?", will
Oliver wissen.
„Ich hab vergessen Seife und Handtuch
nass zu machen."

Nur nicht übertreiben!

In der Deutschstunde fragt die Lehrerin: „Du
wirst baden, er wird baden, sie wird baden ...
– welche Zeit ist das?"
Ronny überlegt nicht lange und
antwortet: „Allerhöchstens
Samstagabend."

Kurzhaarfrisur

„Schau mal", sagt Sabine zu ihrer kleinen
Schwester, „ich hab mir jetzt die Haare ganz
kurz schneiden lassen, damit ich mich morgens nicht mehr so lange kämmen muss."
Darauf die Schwester: „Schön dumm von dir,
Sabine! Dafür musst du dir jetzt jeden Morgen
den Hals waschen!"

Das Wasser

Lehrer: „Anton, nenn mir bitte eine Eigenschaft des Wassers!"
Anton: „Wenn ich mich damit wasche, wird es schwarz."

Guter Rat

Oma: „Bevor du in die Schule gehst, solltest du dir die Hände waschen, Karin!"
Karin verzieht das Gesicht und sagt: „Wozu das denn, bitte? Ich melde mich doch sowieso nicht!"

110

Wie sie heißen, was sie sind ...

Manche Leute könnten gar keinen passenderen
Namen haben – sieht man sich ihren Beruf an:

Dorothea Windler,
Hebamme

Traute Münzinger,
Bankangestellte

Eberhard Zug,
Eisenbahner

Franz Himmelstoß,
Pfarrer

Harry Hacker,
Computerfachmann

Joachim Haserer,
Kaninchenzüchter

Achim Schindlbeck,
Dachdecker

Friedemann Weindl,
Bierfahrer

Melinda Mehl,
Bäckerin

Christian Kicherer,
Clown

Dr. Karin Zangerle,
Zahnärztin

Josef Rindfleisch,
Metzgermeister

Prof. Dr. Hartmut Denk,
Philosoph

Henning Platsch,
Bademeister

Marianne Eiler,
Postbotin

Florian Wiesheu,
Landwirt

Resi Morgen,
Zeitungsausträgerin

Bruno Schwach,
Starkstromtechniker

Fritz Kaltwasser,
Heizungsbauer

Melanie Plapperer,
Moderatorin

Jobst Bummer,
Opernsänger

Hermann Gramm,
Schwergewicht-Sportler

Gerhard Loch,
Schneider

Meinolf Grob,
Feinkosthändler

Marieluise Leer,
Lehrerin

Wendelin Kurz,
Langstreckenläufer

*Hör und schau dich nach ähnlich lustigen
Namen um!*

„Herr Doktor, hier tut 's weh!"

Schularzt-Untersuchung

Die Schülerinnen und Schüler stehen in
der Reihe an.
An Fred richtet der Schularzt die Frage:
„Hast du eigentlich Probleme mit den Ohren,
mein Junge?"
„Ja, Herr Doktor. Immer wenn ich meinen
Pullover anziehe ...!"

Die Spritze

Lorenz, der Jüngste der Familie, muss geimpft werden. Die Sprechstundenhilfe bemüht sich Lorenz zu beruhigen. Der Junge aber hält nicht still. Er sträubt sich gegen das Einstechen der Nadel.
Schließlich ist es der Ärztin gelungen, den Jungen zu impfen. Sie fragt ihn: „Weißt du denn überhaupt, wogegen du geimpft wurdest?"
Lorenz: „Natürlich weiß ich das. Gegen meinen Willen!"

Absolute Ruhe

Arzt: „Frau Finkbein, Ihr Mann muss absolute Ruhe haben. Hier ist ein Schlafmittel!"
Frau Finkbein: „Wann soll ich 's ihm denn eingeben?"
Arzt: „Überhaupt nicht. Sie sollen 's einnehmen."

Vermutung

Zu einem berühmten Arzt kommt Verwandschaftsbesuch. Jeder möchte einen guten Rat.
Die kleine Nichte will wissen, ob Fische gesund sind.
„Vermutlich ja", sagt der berühmte Arzt, der oft sehr zerstreut ist. „Sonst wären schon welche in meine Praxis gekommen."

Beim Augenarzt

„Ich brauche eine Brille, Herr Doktor!"
„Kurzsichtig oder weitsichtig?"
„Durchsichtig."

Im Krankenhaus

„Das muss ja entsetzlich wehgetan haben,
als Sie herunterfielen", bedauert der Arzt
den Patienten mit dem Gipsbein im Bett.
„Weniger das Herunterfallen, Herr Doktor,
als das Untenankommen."

Beim Hausarzt

„Was ich Ihnen raten möchte, Herr Müller:
Schlafen Sie möglichst oft bei offenem
Fenster!", sagt der Arzt zum Patienten.
Eine Woche später fragt er ihn: „Na, Herr
Müller, fühlen Sie sich besser? Sind Sie
Ihre Wehwehchen losgeworden?"
„Nein, Herr Doktor, nur meinen teuersten
Teppich, die Brieftasche und den
Schmuck meiner Frau."

Bei der Zahnärztin

„Ich muss dir heute drei Zähne ziehen,
Waldemar", sagt Frau Peinlich.
Waldemar: „Wie lange wird das dauern?"
„Na, vielleicht eine halbe Stunde."
Darauf Waldemar: „Dann ziehen Sie mal.
Inzwischen geh ich eine Cola trinken."

Unterwegs – nicht nur auf Rädern

Umsonst

Ein Taxifahrer wird angesprochen: „Was kostet eine Fahrt zum Bahnhof?"
Taxifahrer: „Neun Euro."
„Und die beiden Koffer?"
„Die kosten nichts."
„Also, dann fahren Sie bitte meine Koffer zum Bahnhof! Ich geh zu Fuß."

Benjamin will 's wissen

Sonntagnachmittag. Familienausflug in
den Zoo. Vor dem Gehege der Kamele:
„Wer ist denn nun der Kamelvater und
wer ist die Kamelmutter?", fragt Benjamin.
Die Mutter gibt zur Antwort: „Merk dir,
Junge, das größere Kamel ist immer der
Vater!"

Im Bus

Ein Schüler fährt im Bus von der Schule nach Hause. Ein älterer Herr sitzt ihm gegenüber. Er macht ein mürrisches Gesicht.

„Soll ich Ihnen einen Lehrerwitz erzählen?", fragt der Schüler den älteren Herrn.

„Mein Junge", sagt dieser, „ich mache dich darauf aufmerksam, dass ich der Schulrat bin!"

„Macht gar nichts", sagt der Schüler, „ich erzähle ihn ganz langsam!"

In München

Ein Herr vom Land fragt im Stadtbus seinen
Nachbarn: „An welcher Haltestelle muss ich
aussteigen – zum Königsplatz?"
Kriegt der Herr vom Land zur Antwort:
„Richten Sie sich nur nach mir! Sie müssen
zwei Haltestellen vor mir raus."

Aufgehalten

Ohne Licht fährt der Seppi auf seinem
Fahrrad in der Stadt; es ist schon fast
dunkel.
Ein Polizist hält ihn auf und fragt ihn: „Wie
heißt du?"
Seppi, lässig: „Josef Schlickermeier."
Polizist: „Und dein Alter?"
Seppi, kurz: „Auch Schlickermeier."

Der Autor

Hans Gärtner wurde 1939 in Reichenberg/ Nordböhmen geboren. Seit seiner Kindheit wohnt er in Oberbayern. Er war Volksschullehrer, promovierte nach einem Zweitstudium zum Dr. phil. und ist seit 1981 Professor für Grundschulpädagogik in Eichstätt. Seine Arbeitsschwerpunkte sind Leseerziehung und Kinderliteratur.

Die Illustratoren

Lila Leiber wurde 1955 im polnischen Schlawe geboren. Sie studierte Werbegrafik und arbeitete danach in verschiedenen Agenturen. Seit 1982 lebt sie in Deutschland. Lila Leiber hat bereits zahlreiche Kinderbücher illustriert.

(Seiten 9, 12, 18, 30, 32, 35, 38, 43, 57, 62, 68, 73, 77, 91, 96, 100.)

Hans-Christian Sanladerer, 1964 in Garmisch-Partenkirchen geboren, studierte Grafik-Design an der Akademie der Bildenden Künste in Nürnberg und der Parson 's School of Art in New York. Seit 1988 ist er freiberuflich als Grafik-Designer tätig und seit 1991 auch als Illustrator. Neben Werbeaufträgen arbeitete Hans-Christian Sanladerer bisher hauptsächlich für Zeitschriften. Er lebt seit 1993 mit Frau und Tochter in Leipzig.

(Seiten 22, 25, 28, 49, 53, 55, 82, 84, 86, 88.)

Dorothea Tust, 1956 geboren, studierte Grafik-Design mit dem Schwerpunkt Illustration. Seit 1980 ist sie freiberuflich als Illustratorin für verschiedene Verlage tätig. Sie arbeitet außerdem an Trickfilmprojekten und hat schon über 50 Bildergeschichten für „Die Sendung mit der Maus" gemacht.

(Seiten 106, 111, 115, 120.)